Ce matin-là, tout est calme dans la petite ville d'Oakey Oaks. Comme tous les jours, Chicken Little prend son petit déjeuner avec son père Buck. Comme tous les jours, la télévision est allumée dans la cuisine et, comme tous les jours, un journaliste parle de Chicken Little aux informations…

Car depuis un an, il est devenu une célébrité… bien malgré lui ! Il paraît même que l'on va tourner un film sur sa mésaventure. Quelle honte !

Tout a commencé le jour où Chicken Little a reçu
un drôle d'objet sur la tête. Persuadé que le ciel était
en train de tomber par morceaux, il s'est précipité
en haut du clocher de l'école pour donner l'alarme…

« Fuyez, fuyez ! Le ciel s'écroule ! », criait-il
en tirant sur la corde de toutes ses forces.

Aussitôt, ce fut la panique dans la ville. Les gens
quittèrent leur maison en courant, on se bousculait,
on gesticulait. Ce fut une belle pagaille ! Dans le ciel,

par contre, rien ne bougeait… Lorsque le calme revint, les habitants d'Oakey Oaks demandèrent des explications à Chicken Little.

« C'est arrivé là, sous cet arbre, dit-il en désignant un grand chêne. Je passais en dessous et un morceau de ciel m'est tombé sur la tête ! Il doit être là, par terre ; aidez-moi à chercher ! L'objet avait la forme d'un panneau stop, même si, évidemment, ça n'en était pas un. Il était tout bleu, avec un nuage dessus ! »

Mais personne ne fit un geste pour l'aider. La foule le regardait d'un air soupçonneux.

C'est alors que Buck, très embarassé par
la situation, se baissa lentement et ramassa
une petite chose qui se trouvait au pied de l'arbre :
un gland ! Il le brandit devant toute l'assemblée
et demanda en riant :

« Dis donc, fiston, ça ne serait pas plutôt cela
que tu aurais reçu sur la tête ?

– Mais non, papa, je t'assure… protesta Chicken
Little, blessé de constater que son père ne le croyait
pas, lui non plus.

– Mais si, mon garçon, insista Buck, tu t'es
trompé, voilà tout ! »

Un an jour pour jour après cette triste affaire,
Chicken Little est harcelé par les journalistes :
   « Croyez-vous toujours que le ciel va tomber ?
   – Que pensez-vous du garçon qui criait "au loup !" ?
   – Connaissez-vous la différence entre un gland
et un panneau stop ? »
   Honteux et agacé, son père intervient :
   « Laissez-le tranquille, il est juste un peu dingue… »
   Le petit garçon se sent alors bien seul et bien triste.

Sur le chemin de l'école, Buck ne peut s'empêcher de marmonner :

« D'abord un livre, ensuite un livre-disque, un jeu de société, un site web, des plaques commémoratives, et maintenant un film… Regarde-moi ces affiches ! tu parles d'une publicité !

– Ne t'en fais pas, papa, le rassure Chicken Little. Si un seul petit moment a détruit ma vie, je suis sûr que je peux faire quelque chose pour tout arranger. »

Mais Buck n'est pas convaincu :

« Hors de question ; surtout, ne tente rien. L'important, c'est de ne plus te faire remarquer, OK ? »

Dépité, Chicken Little sort de la voiture pour prendre le bus de l'école. Mais à l'instant où il s'apprête à y monter, Foxy, une camarade cruelle, se penche par l'une des fenêtres et lui renverse un sac de glands sur la tête en ricanant. Le jeune garçon perd l'équilibre, vacille, dérape, pour finalement tomber de tout son long sur le trottoir. Le temps qu'il se redresse, le bus est déjà parti, emportant ses camarades qui se moquent de lui.

Chicken Little s'élance derrière le bus pour le rattraper, mais tandis qu'il traverse la rue au passage clouté, il trébuche et se retrouve par terre, les fesses collées sur un énorme chewing-gum. Le petit s'affole : quand le feu passera au vert, il se fera écraser !
Il s'efforce de se dégager, mais rien à faire : la matière gluante le retient cloué au sol.

Soudain, il a une idée. En plaquant sa sucette toute gluante au pare-chocs d'une voiture qui démarre, il arrive finalement à se sortir de cette situation embarrassante. Mais alors qu'il regagne le trottoir, il s'aperçoit avec horreur que son pantalon est resté collé au chewing-gum ! Impossible d'aller à l'école dans cette

tenue ! Caché dans les buissons, Chicken Little regarde
ses camarades entrer en classe. Il réfléchit à la façon
de les rejoindre sans se faire remarquer… En levant
la tête, il aperçoit une fenêtre ouverte et, devant lui,
un distributeur de boissons : voilà la solution ! Il prend
une bouteille de soda, la secoue, l'attache dans son dos,
goulot dirigé vers le bas, et, d'un coup sec,
la décapsule. Le voilà qui part comme une fusée !

La manœuvre a si bien réussi qu'après
un superbe saut périlleux, le jeune garçon se pose
en douceur… devant une troupe de pom-pom girls !
Sans réfléchir, il fonce droit devant lui à travers
le gymnase, attrape un des gros pompons, se cache
derrière et file à toute vitesse vers les vestiaires.
Un coup d'œil à droite… Un coup d'œil à gauche…
Personne. Ouf !

Chicken Little ouvre son casier et, d'un bond,
s'y introduit. Le dernier devoir de calcul qu'il y a
laissé lui donne une idée ! En le pliant habilement,
il se fabrique un pantalon sur mesure qu'il enfile
aussitôt. Le voici de nouveau présentable !

Très content de sa nouvelle tenue, et pas peu fier
d'avoir eu tant de bonnes idées en si peu de temps,
Chicken Little s'offre le luxe de se pavaner sur
le seuil de son casier. Mais il n'est pas question
de s'attarder davantage… Par la fenêtre ouverte,
il entend les voix de ses camarades qui sont déjà en
classe. Alors, avant que le surveillant ne le surprenne,
il file les rejoindre…

Devant le tableau, le professeur fait l'appel :
« Foxy ?
– Présente, jolie et ponctuelle, comme toujours !
– Fish ?
– Blub !
– Quel looser, celui-là, murmure Foxy.
– Boulard ? »
En guise de réponse, un chant suave jaillit du fond

de la classe, accompagné d'un grand fracas : Boulard
est si gros qu'il soulève son bureau en se levant.

« Abby ?

– Le vilain petit canard ! ricane Foxy, déclenchant
les rires de tous les élèves.

– Ça suffit, il est interdit de se moquer de ses
camarades ! intervient le professeur.

– C'est pas grave, Monsieur. Présente !

– Chicken Little ? »

Pas de réponse…

« Encore en retard », commente Foxy.

Abby, Boulard et Fish échangent des regards
inquiets : qu'est-il donc encore arrivé à leur ami ?

Les élèves sont maintenant au gymnase pour
le cours de sport. Une partie de balle au prisonnier
est déjà engagée lorsque Chicken Little arrive dans
le gymnase. Deux équipes s'affrontent: l'une menée
par la méchante Foxy et son inséparable comparse,
Goosey, et l'autre par Abby, Boulard et Fish. Tandis
que les ballons volent à travers la salle, Chicken Little
se glisse à côté d'Abby.

« Des ennuis ? lui demande-t-elle.

– Juste un problème de chewing-gum, soupire
Chicken Little. Mais il y a pire : mon père a déclaré
aux journalistes de télévision que j'étais fou…
Mais je vais me remettre de ce traumatisme,
car j'ai un plan… Ma vie a été détruite en un instant ;
à présent, il faut donc que je réalise quelque chose
d'extraordinaire pour faire oublier à tout le monde
cette histoire de gland.

– Tu devrais parler à ton père ! conseille Abby.
j'ai lu hier dans un magazine tout un tas de conseils
sur les rapports père-fils : pour éviter la rupture,
il faut absolument établir un dialogue ! »

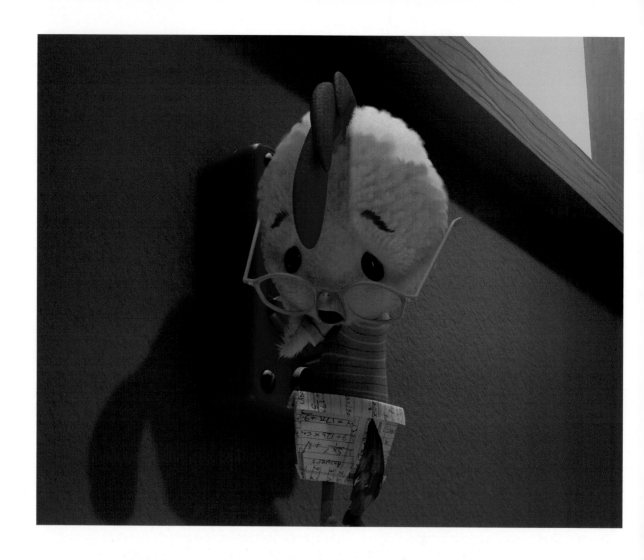

Le moniteur a sifflé la pause. Malgré cela, Foxy continue de viser Abby. Elle lui envoie un ballon qui atterrit en plein sur son bec et la fait tomber. Furieux, Chicken Little marche vers elle :

« La partie était finie, Foxy, présente immédiatement tes excuses à Abby ! », crie-t-il.

D'abord étonnée, Foxy réagit très vite. Elle claque des doigts et, aussitôt, Goosey attrape Chicken Little par la crête et le lance de toutes ses forces à travers

la salle. En voyant le petit poulet s'écraser contre
la fenêtre, toute la classe éclate de rire.
Avec un sourire narquois, Foxy regarde le pauvre
petit glisser lentement le long de la fenêtre.
Fish, Abby et Boulard se précipitent pour lui porter
secours. Mais heureusement Chicken Little
s'est déjà rattrapé de justesse à la manette d'incendie.
Il s'y agrippe si fort qu'il finit par la déclencher.
La sirène retentit, bientôt suivie par une pluie
torrentielle jaillissant des arroseurs du plafond.
Lorsque le professeur revient, affolé, le gymnase est
complètement inondé…

Le directeur est furieux ; il convoque Buck
dans son bureau.

« Votre fils est une véritable catastrophe !
s'écrie-t-il… Il est toujours en retard, porte des tenues
farfelues. Et maintenant, il dégrade le matériel !
Depuis cette histoire de ciel qui lui est tombé sur
la tête, il ne fait que des bêtises ! »

Assis sur un banc derrière la porte, Chicken
Little ne perd pas une miette de la conversation.

« Vous comprenez, Buck, poursuit le directeur,
j'ai beaucoup de respect pour vous. Vous êtes une
légende dans cette école. En vingt ans, nous n'avons
jamais eu de joueur de base-ball aussi doué que vous.

Mais il faut regarder les choses en face : votre fils
ne vous ressemble pas du tout ! »

Buck ne sait que répondre. Lorsqu'il sort
du bureau, il entraîne son fils vers la sortie.

« Ce n'est pas ma faute, papa, tente de se justifier
le petit garçon.

– Ça va, fiston, lui répond son père. Tout va bien.
Tu n'as rien à m'expliquer. »

Chicken Little a beaucoup réfléchi. Pour que son
père soit enfin fier de lui, il a décidé de s'inscrire
dans l'équipe de base-ball. Buck n'est pas vraiment
convaincu par le choix de son fils…

« Tu ne préfères pas jouer aux échecs, ou
chanter dans la chorale ? », rétorque-t-il.

Mais Chicken Little est très déterminé.
Dès le lendemain, il s'inscrit pour le prochain match
et va s'asseoir sur le banc de l'équipe de son école

en grande tenue. Sur le terrain, Foxy bat des records,
comme à son habitude. La foule est très enthousiaste.
Mais lorsque Chicken Little entre sur le terrain,
un murmure de mécontentement parcourt les gradins.
L'équipe adverse, elle, se réjouit déjà : c'est sûr, elle
va gagner la partie ! D'un pas hésitant, Chicken Little
s'avance vers la base de lancement. Son casque est
trop grand pour lui et sa batte est si lourde qu'il a
bien du mal à la porter. On lui lance une première
balle… Ratée ! Une deuxième… Ratée ! Dans
les tribunes, la foule gronde. Mais à la troisième
balle, Chicken Little réussit un coup extraordinaire.

Les supporters en délire voient la balle partir
si haut et si loin qu'ils n'en croient pas leurs yeux.
Chicken Little s'élance autour du terrain. Mais les
cris de la foule l'arrêtent : il est parti dans la mauvaise
direction ! Il fait demi-tour et court, court à toute
vitesse, tandis que l'équipe adverse tente tant bien
que mal de rattraper la balle. Le public retient son
souffle… Le petit poulet dépasse la première base et

file vers la seconde à toutes jambes. Derrière lui, c'est
la pagaille. On se bouscule, on se marche dessus…
C'est à celui qui parviendra à saisir enfin la balle.
Chicken Little enlève son casque pour s'alléger
et court de plus belle. Mais alors qu'il arrive au but,
une vache du camp adverse plonge sur lui et l'écrase.
Le voilà plaqué au sol, à moitié assommé. L'arbitre
se précipite. Chicken Little est-il vaincu ? Mais non !
Car, en retirant la terre qui le recouvre, on s'aperçoit
qu'il a atteint la base de départ. Il a donc fait le tour
du terrain : c'est gagné ! Un hurlement de joie monte
des tribunes, tandis que ses coéquipiers le portent
en triomphe. Chicken Little est le héros du jour !

De retour dans sa chambre, Chicken Little
célèbre à sa façon son exploit. Il prend une cuillère,
la brandit devant lui comme s'il s'agissait d'un micro
et se met à chanter à tue-tête :

« Je suis le champion, mon pote ! Je me suis
battu jusqu'au bout ! Je suis le champion, je suis
le champion du monde ! »

Buck le rejoint, et tous deux rejouent ensemble
le match.

« Tu as vu papa, comme j'ai frappé la balle !
se réjouit Chicken Little.

– Ouais, en plein dans le mille ! approuve Buck.
C'était un coup formidable ! Elle est partie comme

une flèche ! Et tu as couru tellement vite, fiston ;
c'était vraiment extraordinaire ! »

Le père et le fils se mettent à danser, avant de
s'écrouler épuisés sur le lit. Chicken Little soupire
de bonheur.

« Tu sais, lui confie Buck, après cette victoire,
ça m'étonnerait qu'on nous reparle encore de cette
affaire de gland ! »

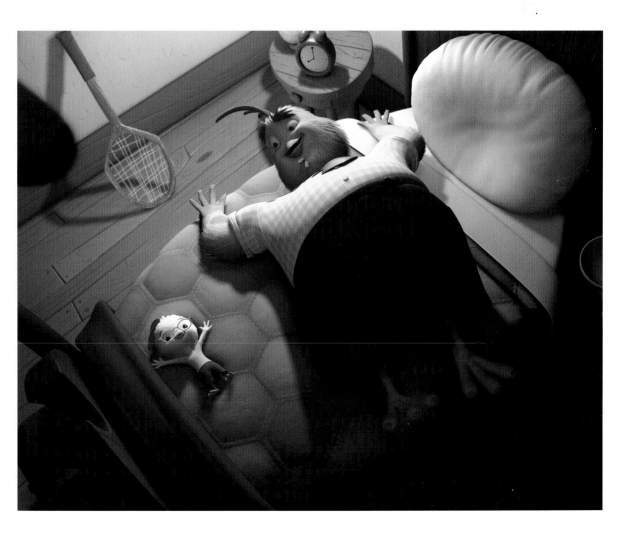

« Bonne nuit, champion », lance Buck en sortant de la chambre et en refermant joyeusement la porte.

Chicken Little n'a jamais été aussi heureux de sa vie. Il bondit jusqu'à la fenêtre, s'assied sur le rebord et contemple intensément le ciel.

« Merci, souffle-t-il, merci de m'avoir donné cette seconde chance. Ça faisait tellement longtemps que j'attendais ce moment ! »

Mais tandis qu'il rêve en admirant les étoiles,
une lueur intense jaillit tout à coup du ciel, fonce
vers lui, le heurte et le projette en arrière. Chicken
Little tombe sur le plancher. Il sent un poids peser
sur lui. À demi étourdi, il s'en dégage et découvre
qu'il s'agit d'un drôle d'objet tout plat et scintillant.

« Oh, non ! s'écrie-t-il. Ça ne va pas recommencer
cette histoire de ciel qui me tombe sur la tête ! »

En bas, dans la cuisine, Buck a entendu du bruit.

« Qu'est-ce qui se passe, fiston, ça va ?

– Rien, rien, je suis juste tombé de mon lit »,
répond Chicken Little, qui ne veut pas dire la vérité
à son père, de peur qu'il ne le croie pas.

Chicken Little réfléchit un long moment : que doit-il faire ? L'histoire du gland ne doit surtout pas se répéter ! Il décide de demander conseil à ses amis.

« Je vais aller voir Abby, elle saura sûrement quoi faire ! », se dit-il en se précipitant hors de sa chambre.

Quelques minutes plus tard, entouré de ses camarades, il se penche sur l'objet. Son reflet y apparaît aussitôt comme dans un miroir, puis il s'efface brusquement. La « chose » devient alors transparente et se confond avec le plancher.

« C'est peut-être un morceau de satellite ! s'écrie Abby.

    – Ou du pipi gelé, tombé d'un avion ! suggère Boulard. Ça arrive, parfois.

    – Que ce soit ça ou autre chose, je veux m'en débarrasser ! », déclare Chicken Little.

    C'est alors que Fish appuie sur un bouton qu'il vient de repérer sur l'objet. Aussitôt celui-ci s'élève dans les airs en tournoyant. Fish saute dessus et s'amuse à flotter dans la chambre. Ses trois amis le regardent, ébahis.

Boulard plonge derrière le lit.

« Attention, planquez-vous, un poisson volant ! »,
s'écrie-t-il.

Un éclair illumine brusquement la chambre.
Debout sur l'objet, Fish se dirige vers la fenêtre, puis
est emporté dans la nuit étoilée. Il rejoint un engin
plus brillant encore, une soucoupe volante qui glisse
dans le ciel. Chicken Little, Abby et Boulard sortent
en courant de la maison et se lancent à sa poursuite.

« Fish ! crient-ils. Tiens bon ! On va te sauver ! »

Sur le seuil, Buck les voit passer en trombe :

« Mais qu'est-ce qui se passe ? Il y a le feu ou quoi ?

« – Parle-lui maintenant, murmure Abby à son ami.

– Rien, rien, papa, mais il faut que j'y aille !
À tout à l'heure », crie Chicken Little.

Déjà, la soucoupe volante s'éloigne. Elle plane
au-dessus de la ville, puis, après avoir décrit un large
cercle, s'immobilise au-dessus du terrain de base-ball.
Chicken Little, Abby et Boulard s'y précipitent et voient
l'appareil se poser dans un tourbillon de poussière.
Sous une coupole vitrée, Fish leur fait signe.

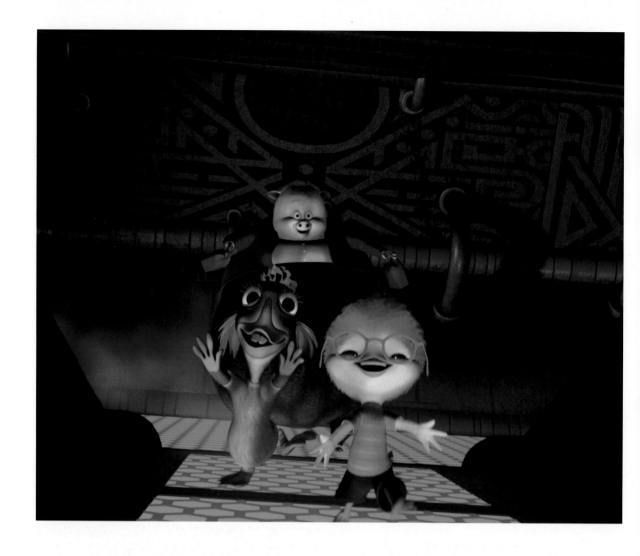

Une écoutille s'est ouverte sous l'appareil.
Deux étranges créatures aux yeux globuleux
et aux longs tentacules en surgissent. Les trois amis
attendent qu'elles s'éloignent pour courir vers
le vaisseau spatial.

« Fish ! Fish ! », appellent-ils tout bas en pénétrant
à l'intérieur.

Un réseau de tuyaux fluorescents y fait régner
une atmosphère irréelle. Le trois amis arpentent

les couloirs à la recherche de Fish, lorsque Chicken Little remarque une drôle de chose orange, une sorte de petit extraterrestre tout poilu, en suspension dans un champ magnétique bleu. Mais l'heure n'est pas à la curiosité : le plus important, c'est de trouver Fish. Heureusement, ils finissent par tomber nez à nez avec lui. Le petit poisson entraîne alors ses camarades vers une salle dont le plafond représente le système solaire. Toutes les planètes y sont barrées, sauf la Terre, qui est entourée d'un cercle rouge.

« Nous sommes leur prochaine cible ! », s'exclame Chicken Little, horrifié.

Les quatre amis filent vers la sortie.

« Il faut retourner chez toi et prévenir ton père ! », dit Abby à Chicken Little.

Mais alors qu'ils atteignent la sortie, ils tombent sur les deux extraterrestres qui reviennent de leur expédition. Pour les bloquer, Chicken Little ferme un sas en catastrophe. Fish en profite pour sauter hors du vaisseau. Boulard le suit, mais il est tellement gros qu'il a quelques difficultés à passer par la porte.

« C'est la peur qui m'a fait gonfler ! », s'excuse-t-il.

Abby le pousse de toutes ses forces et sort derrière lui. Chicken Little déguerpit en dernier,

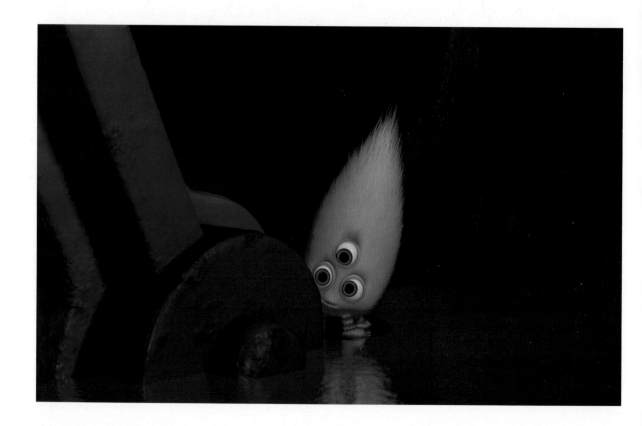

les extraterrestres sur ses talons. Dans l'ombre, personne ne remarque la petite créature orange qui s'éclipse elle aussi…

« Il faut donner l'alerte, crie Abby. Chicken Little, tu dois actionner la cloche de l'école ! »

Chicken Little glisse une pièce dans le distributeur de boissons, attache une bouteille de soda dans son dos et se propulse tout en haut du clocher.

« Le ciel s'écroule ! », crie-t-il en tirant sur la corde.

Mais lorsque les habitants d'Oakey Oaks accourent, les extraterrestres se sont enfuis. Et une fois de plus, personne ne veut croire Chicken Little, pas même Buck. Le petit garçon est désolé d'avoir à nouveau perdu la confiance de son père.

Le lendemain, Buck est assailli d'appels téléphoniques : les mécontents sont nombreux…

De son côté, la petite créature orange est restée sur la Terre ! Elle surprend Chicken Little et ses amis et leur raconte, désespérée, que ses parents sont repartis en l'abandonnant. C'est alors que le ciel est envahi par une armée de soucoupes volantes.

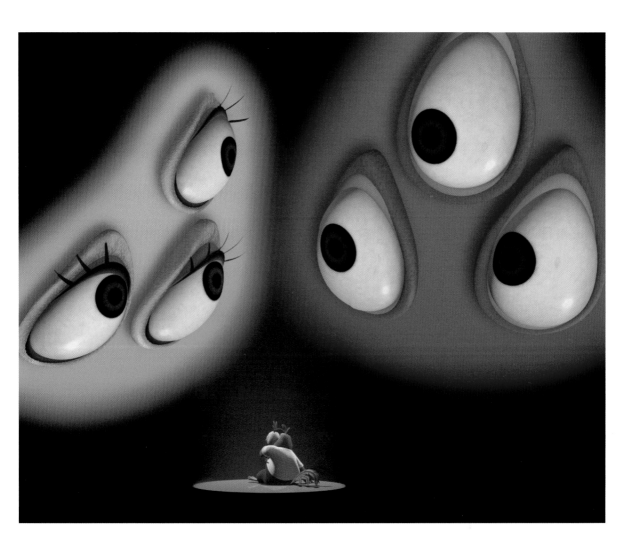

Chicken Little comprend : les parents du petit ont
lancé une armée intergalactique à sa recherche.

Chicken Little décide de montrer la créature
à son père, qui est bien obligé de se rendre
à l'évidence : son fils disait la vérité !

Ils parviennent à prendre contact avec
les extraterrestres et les voilà bientôt dans l'une
de leurs soucoupes volantes. Une voix leur demande :
« Pourquoi avez-vous kidnappé notre enfant ? »

Finalement, grâce aux explications de la petite
créature, l'invasion de la Terre est stoppée et l'armée
intergalactique repart. Les parents du petit félicitent
Buck :

« Grâce à votre fils, nous avons récupéré notre
bébé. Et nous avons évité une belle catastrophe !
Nous aurions été très peinés de devoir détruire votre
planète, car c'est ici que l'on trouve les meilleurs
glands de l'univers. D'ailleurs, lorsque nous partons
en voyage, nous faisons toujours un détour par chez
vous pour en rapporter une petite réserve. »

Comme prévu, Hollywood a tourné un film
sur les exploits de Chicken Little. Pas la version

du début, avec le gland sur la tête ! Non, celle
où il incarne le superhéros qui sauve la planète
et conquiert le cœur d'Abby. Dans la salle de cinéma
où tout Oakey Oaks s'est rassemblé, c'est un tonnerre
d'applaudissements ! Buck regarde son fils avec fierté.
Une chose est sûre : dorénavant, il sera toujours
de son côté. Il a compris à présent qu'il pouvait
lui faire confiance.